바다와 소리과학

바다와 소리과학

발 행 | 2024년 05월 02일
저 자 | 최복경
펴낸이 | 한건희
펴낸곳 | 주식회사 부크크
출판사등록 | 2014.07.15.(제2014-16호)
주 소 | 서울특별시 금천구 가산디지털1로 119 SK트윈타워 A동 305호
전 화 | 1670-8316
이메일 | info@bookk.co.kr

ISBN | 979-11-410-8333-5

www.bookk.co.kr

바다와 소리과학

최복경 지음

CONTENT

제2장 미래를 여는 소리과학 50

머리말

이 책에 실린 내용은 2022년부터 2024년까지 대부분 3년간에 걸쳐 주요 일간지에 기고한 과학코너 글들을 재편집하여 모아 정리한 것이다. 개인적으로 주장하고 싶은 내용들로 구성되어 있으며, 필자의 전공인 소리과학 분야와 해양분야와 관계된 글들이다. 특히 동해바다 및 해양영토수호와 관련된 글들도 많으며, 소리과학에 대한 전망도 실었다. 독자분들도 가벼운 마음으로 읽어주신다면 좀 더 해양음향 탐사기술과 음향과학을.재밌게 접할 수 있으리라 생각한다.

글쓴이 최복경 올림

제1장 바다를 여는 소리과학

1. 공기 방울이 만드는 '물거품 소리'의 세계

물이 흐르는 곳에서라면 물속에서 만들어지는 공기 방울을 흔히 볼 수 있다. 탄산수, 맥주, 끓는 물에서도 공기 방울이 만들어진다. 세차게 내리꽂히는 폭포에도, 쉼 없이 요동치는 파도에도 공기 방울은 다양한 형태로 모습을 드러낸다.

공기 방울의 특성 중 하나는 탄성이 좋고, 특정한

소리를 낸다는 점이다. 물속에서는 숨 쉬듯이 공기 방울이 커졌다, 작아졌다를 반복하는 진동이 나타난다. 진동 크기에 따라 서로 다른 소리가 생긴다. 작은 공기 방울은 높은 소리를 내고, 큰 공기 방울은 낮은 소리를 낸다.

과학자들은 바다에 비가 내리면 빗물이 떨어질 때마다 물속엔 일정 크기의 공기 방울이 생긴다는 사실을 알아냈다. 대기 중에 내리는 물방울(빗방울)은 우선 바닷물의 표면과 부딪친다. 그다음 수면의 공기를 끌어들여 물속에 공기 방울을 만들어낸다. 비올 때는 물속에서 공기 방울 진동 소리가 크게 들린다. 연구에 의하면 약 15㎑(킬로헤르츠)에 이르는 높은 진동수의 소리가 공진해 발생한다. 바닷속의 잠수함에서 이러한 진동수의 소리를 감지한다면 대기 중에서 비가 오고 있음을 충분히 추정할 수 있다.

더운 여름날 해수욕장에선 '쏴아' 하는 소리와 함께 밀려오는 시원한 파도 소리가 더위에 지친 사람들의 귀를 씻어준다. 파도 소리는 어떻게 발생하는 것일까. 비밀은 파도 거품에 있다. 파도 거품을 보면 수많은 공기 방울로 이뤄진 사실을 알 수 있다. 앞서 말했듯이 공기 방울은 크기에 따라 특정한 공진 진동수를 만든다. 그러나 공기 방울이 동시에 많이 생성되면 저주파 소리가 아주 강하게 들리는 것이 특징이다. 파도 소리는 바로 이 공기 방울들이 집단적으로 내는 소리이며, 약 1㎑의 낮은 진동수의 소리를 발생시킨다. 계곡의 폭포수, 개울에서 흐르는 물소리도 대부분 공기 방울 거품이 만들어내는 소리이다. 만일 계곡물이나 개울물에서 공기 방울 하나 없이 고스란히 물만 흐르면 어떻게 될까. 전혀 소리가 나지 않는다.

몇 해 전, 이순신 장군이 왜적에게 크게 승리한 '명량해전'을 소재로 한 영화 <명량>이 개봉한 적이 있다. 명량은 진도 울돌목을 말한다. 울돌목의 한자어 지명이 '명량(鳴梁)'이다. 울돌목은 바닷물이 심하게 소용돌이치는 곳으로 유명하다. 이 소리를 과학적으로 분석하면 놀랍게도 파도가 내는 소리가 아니라 바닷물이 소용돌이칠 때 많은 물거품이 만들어지면서 나오는 공기 방울 소리다.

바다에서 배를 타고 가다 보면 선미 쪽에서 넓게 퍼지다가 차차 뒤로 밀려나면서 사라지는 물거품을 볼 수 있다. 모두 공기 방울인데, 배 뒤에 달린 스크루가 만든 것이다. 날개 모양의 금속인 스크루가 회전하며 만드는 공기 방울은 파도나 비로 인해 생기는 것보다 크기와 규모가 상대적으로 훨씬 크고 다양하다. 폭포수와 비슷하게 스크루 소리도 낮은 진동수의 소리를 만든다.

이렇게 생겨난 소리들이 우리 귀에 들리는 것은 그 소리가 공기 중으로도 퍼지기 때문이다. 그런데 이 소리는 공기 중만이 아니라 오히려 물속으로 더 잘 전달된다. 공기보다는 물이 진동 탄성이 좋기 때문이다. 바닷속의 각종 소음은 이런 소리가 모인 것이다. 만일 바닷속이 조용하다고 말하는 사람이 있다면 그 사람은 바닷속에 한번도 들어가보지 않은 것이다. 비와 바다 표면이 만나는 소리, 파도 소리, 배의 스크루 소리 등 복잡다단한 소리들로 바닷속은 채워진다. 해양 생물들은 항상 이러한 공기 방울 소리에 노출돼 있으며, 대기 중에 있는 우리와는 다른 흥미진진한 수중 소리의 세계에서 살고 있는 것이다.

2. 수중소리 과학기술, 해양주권 지킬 열쇠다

한국의 넓고 깊은 바다를 외세에서 지키기란 참으로 어렵다. 수면뿐만 아니라 바닷속까지 감시하는 입체적인 전술이 필요하기 때문이다. 그 가운데 가장 중요한 것이 잠수함을 탐지하는 일이다. 수상함이나 전투기와는 달리 잠수함은 그 형체가 보이지 않고, 첨단 레이더의 전파도 물속에서는 무용지물이다. 이 때문에 잠수함을 포착하려면 오로지 소리에 의존할 수밖에 없다.

그건 쉬운 일이 아니다. 바닷속에서 은밀히 움직이는 잠수함의 소음을 들으려면 수중마이크(수중청음기)를 바다 표면의 부표에 매단 후 물 속에 수직으로 내려서 감별해야 한다. 이것이 소노부이(sonobuoy), 즉 소리 부표라는 장비다. 소리 부표는 대잠 항공기에서 주로 사용하는데, 수중에 내린 부표에서 탐지한 소음을 부표 안테나를 통해 항공기로 전송함으로써 실시간으로 바닷속 소리를 감시한다.

소리 부표는 과학자들에게도 중요하다. 소리 부표를 통해 바닷속에서 들리는 각종 생물들의 소리를 청취해 생태 환경을 파악하고, 먼 거리에서 발생하는 해저 지진이나 핵실험 소음 등도 포착한다.

바다에서 발생하는 소리를 많이 들으려면 그만큼 많은 소리 부표가 필요하다. 이를 설치하고 실시간으로 운용하려면 무인기(드론)를 이용하는 것이 한 방법이다. 드론에 소리 부표와 통신할 수 있는 중계기를 부착한 뒤 바다에서 지속적으로 비행을 시키면 근처 소리 부표에서 보내오는 물 속 소리를 육상에서 실시간으로 수신해 감시할 수 있다.

그런데 소리 부표는 육상이 아닌 바다 표면에 떠 있다. 궂은 바다 날씨와 파도 때문에 고장 날 때가 많고, 근방을 지나가는 선박에 의해 파손되기도 한다. 배터리도 주기적으로 교환해야 한다.

이런 문제를 해결하기 위해 연구자들은 물 속 소리

를 청취하는 또 다른 감지기 체계를 고안했다. 바다의 밑바닥인 해저에 설치하는 '소리 탐지 케이블'이다. 소리 탐지 케이블은 육상과 연결된 광케이블과 여러 개의 수중마이크를 결합해 만든다. 이렇게 하면 전기 공급 문제를 해결할 수 있다. 유선으로 육지와 연결되기 때문에 언제든 육상 기지의 모니터로 수중 소리를 청취할 수 있다. 여러 개의 수중마이크를 일정 간격으로 설치할 수 있어서 작은 소음도 놓치지 않고 증폭시켜 들을 수 있다.

이러한 해저 소리 탐지 케이블은 바다 위에서는 보이지 않는다. 이 때문에 해저 케이블을 설치한 당사자가 아니고서는 위치를 파악하기 어렵다. 잠수함이 케이블 설치 지역을 지나가면 케이블 설치자는 그 잠수함의 소음을 들을 수 있고, 그것이 어떤 형태의 잠수함이고 어느 나라 잠수함인지를 감지할 수 있다.

일본은 독도 근처까지 자국의 해저 케이블을 오래 전에 매설했고, 이를 널리 활용 중인 것으로 보인다. 한국도 효율적인 해양주권 대비책을 마련할 때이다. 잠수함의 주요 활동 무대인 동해안과 울릉도 사이, 울릉도와 독도 사이에 해저 관측용 복합케이블을 설치할 필요가 있다.

바닷속 소리를 듣기 위한 또 다른 아이디어도 있다. 오목한 형상의 자연 물체를 사용하는 것이다. 울릉도 연안 절벽의 모양을 살펴보면 '소리 집속 반사판' 역할을 할 수 있는 경우가 많다. 이를 활용하면 먼 곳에서 수중으로 전달되는 저주파 소리를 증폭해 들을 수 있다. 울릉도 외에도 한국의 해안에는 소리 집속 반사판 형태의 지형들이 있는 것으로 파악돼 있다. 다양한 현장을 확인하는 연구와 함께 수중 소리 과학 기술 발전을 위한 노력이 필요한 때이다.

3. 핵실험, 바다에서 탐지할 기술 만들자

최근 남북 관계가 경색되면서 북한의 미사일 도발이 계속되고 있고, 특히 추가 핵실험이 우려되고 있다. 보통 핵실험은 공중 핵실험, 지하 핵실험, 수중 핵실험, 대기권 밖 핵실험으로 구분된다. 북한의 경우 주로 육지의 지하에 갱도를 파서 핵실험을 감행해 왔다. 지하 깊은 곳에서 핵폭발이 일어나면 폭발 지점의 지표면이 같이 함몰되는 커다란 파괴가 일어난다. 또한 강력한 충격파가 발생해 지층, 공중을 따라 '쾅' 하는 매우 큰 소리가 전달된다.

한국에서는 이러한 충격음을 수신해 이것이 자연 지진인지, 인공 지진인지를 가려내는 탐지체계를 갖추고 있다. 인공 지진은 핵폭발을 뜻한다. 자연 지진은 지층을 따라 충격음이 전달되지만, 지하 핵폭발의 경우 지층 충격음뿐만 아니라 대기를 따라 전달되는 공중 충격음까지 발생하기 때문에 이를 비교해 핵폭발 여부를 판정하게 된다.

지층에서 충격음은 보통 전파 속도가 초속 7㎞에 달하며, 공중에서는 초속 0.34㎞로 전달된다. 매질의 탄성 수준에 따라 전파 속도가 달라지는 것이다. 지층과 공중에서 전달된 충격음 속도를 비교해 핵폭발

여부와 핵폭발이 일어난 위치·시각 등을 알아낼 수 있다. 현재 한국에서는 이렇게 지층과 공중 두 경로에서 충격음을 탐지하고 있다.

그러나 최근에는 한반도 연안의 얕은 바다에 한국에서 설치한 많은 수중 탐지 센서망이 운용되고 있다는 점에 주목할 필요가 있다. 이를 이용하면 더욱 정확히 핵실험 유무를 판별해 낼 수 있다. 지층을 따라 전달된 충격음은 바닷가까지 순식간에 도달하며, 바닷속을 투과해 멀리까지 전달된다. 수중에서 충격음은 초속 1.5㎞로 전달된다. 육상과 공중에서 전해진 충격음 수신자료와 비교하면 더욱 정확히 핵실험 유무와 위치·방향 등의 정보를 알아낼 수 있다.

또한 핵폭발이 만약 동해 깊은 바닷속에서 일어난다면 더욱 정확하게 이 같은 정보를 확인할 수 있다. 한국 지진관측망에서는 수중에서 관측하는 충격음의 실시간 자료를 이용하고 있지 않으므로 해군에서 운용하는 수중음파 센서 체계와 연계해 수중 충격음 수신자료를 함께 분석해야 할 것이다.

이러한 수중음파 센서에서 관측되는 소리는 핵실험 충격음파를 비롯해 수중에서 발생하는 미사일, 기뢰 등의 폭발음 등을 감지할 수 있으므로 매우 유용하다. 동해는 깊은 바닷속, 즉 수심 약 350m 구간에 수중음파 통로가 자연적으로 형성돼 있으므로 멀리서 발생한 다양한 폭발음을 남쪽에서 충분히 수신할 수 있다.

따라서 동해의 깊은 바닷속에 해저 음향 케이블을 설치해 운용하는 것이 앞으로 우리가 해야할 일이다. 이는 일본 쪽에서 일어나는 해저지진을 미리 감지해 한국 동해안으로 밀려올 수 있는 지진해일에 대해 적어도 30분 전에 경보를 내릴 수 있다는 점에서도 효과적인 시스템이다.

바다는 우리에게 많은 기회를 주고 있다. 수중에서 전달되는 소리를 감지하고 연구해 핵폭발과 지구 내부 지진파, 지진해일 등 각종 재난 경보를 미리 제공할 수 있다는 점에서 깊은 바닷속에 음향탐지 센서 체계를 설치·운영할 필요가 절실하다. 그것이 한국을 더 안전한 국가로 만드는 방법이 될 것이다.

4. 한반도 바다의 고래, 우리가 지켜내자

최근 방영된 한 드라마가 시청자들에게 큰 인기를 끌었다. 이 드라마에선 자폐 스펙트럼 장애를 가진 '우영우'라는 변호사가 주인공으로 나온다. 그는 현실에서 어려운 문제에 부닥쳐 해결 방법을 생각해낼 때마다 고래가 물 밖으로 힘차게 뛰어오르는 장면을 떠올리곤 한다. 우영우에게 돌고래는 영감의 원천인 셈이다. 그런 우영우가 가장 좋아하는 돌고래 중 하나는 바로 '남방큰돌고래'이다.

조만간 국내 수족관에서 키우던 남방큰돌고래 한 마리가 제주 근처 바다에 방류될 예정이다. 이전에도 돌고래 여러 마리가 바다로 떠난 적이 있는데, 많은 국민의 관심과 염려 덕에 제주 바다에 잘 적응해 살아가고 있음이 확인됐다. 해양수산부는 앞으로도 국내의 모든 수족관에 있는 돌고래를 바다에 방류하는 계획을 세우고 있다. 참으로 다행스러운 일이다.

울산 앞바다에서는 고래를 구경할 수 있는 관광선을 예전부터 운영하고 있다. 최근에도 울산 장생포 앞바다에서 참돌고래 1000여마리가 발견돼 관광선 승객들의 환호를 자아냈다고 한다.

하지만 일제강점기 때 고래를 둘러싼 상황은 달랐다. 당시 일본은 포경산업이라는 명목 아래 한반도 바다의 고래들을 대량으로 사냥해 한국의 토종 고래인 상괭이는 거의 멸종위기까지 내몰렸다. 해방 후 한국은 국제포경조약에 가입해 한반도 바다의 고래 포획을 금지하고 있다. 그러나 일본은 얼마 전 이 조약을 탈퇴해 지속적으로 고래사냥을 해오는 실정이다. 안타까운 일이다. 일본에 지속적으로 항의해 국제포경조약에 가입하도록 종용해야 할 것이다.

이렇게 아끼고 보호해야 할 고래 가운데에도 돌고래에는 독특한 신체 기능이 있다. 박쥐처럼 초음파를 사용할 수 있다는 점이다. 돌고래는 시력이 좋지 않아서 주로 음파로 물체를 식별한다. 돌고래는 이마의 단단한 뼈 안쪽에서 초음파를 발생시킨 뒤 물체에 반사해 되돌아오는 소리를 길쭉한 턱으로 감지한다. 필자는 해양 현장조사를 위해 바다 출장을 다니면서 특히 동해 속을 관찰할 일이 많았다. 이 과정에서 물속에 수중 마이크를 설치해 고래가 내는 소리를 측정하고 분석했다.

돌고래가 사용하는 초음파는 약 50㎑(킬로헤르츠)에서 150㎑까지 매우 높은 소리다. 파장이 작기 때문에 소형 물체도 쉽게 식별할 수 있다. 돌고래는 필요에 따라 숨구멍과 이빨 사이의 진동으로 사람이 들을 수 있는 낮은 수㎑ 주파수 소리도 낼 수 있다. 주로 동료들 사이의 소통을 위해 활용하고 있다고 과학계는 추정한다.

대왕고래처럼 커다란 고래들은 초음파를 쓰지 않는다. 하지만 수백㎐의 저주파를 내 수십㎞ 이상 먼 거리까지 서로 소통하고 있음이 밝혀졌다. 동해는 수심 300m 부근에 소리가 특히 잘 통하는 '음파 통로'가 있다. 물속 온도와 압력의 영향을 받아 수평 형태로 만들어진 터널 같은 구조다. 음파 통로를 따라 고래가 발생시킨 소리는 최대 수백㎞까지 전달되는 것으로 알려져 있다.

고래는 인간에게 친숙한 생명체로서, 그리고 정신적인 생태문화 자원으로서 아끼고 보존해야 한다. 특히 대형 고래류인 귀신고래와 한국 토종 돌고래인 상괭이는 아직도 개체수가 매우 부족하기 때문에 더 관심을 갖고 연구해야 한다. 또 일본의 고래사냥에 대해 지속적으로 항의할 필요가 있다. 고래의 특성을 이해하고 연구하는 한국 과학자들이 늘어나기를 희망한다.

5. 수중음파, 선박사고에서 인명 구할 희망

유선통신 시대에서 전화기의 송·수화기는 반드시 본체와 선으로 연결돼 있어야 했다. 요즘은 무선통신 시대다. 선이 없는 휴대전화로 자유롭게 통화할 수 있다. 더 나아가 휴대전화는 4세대(G)·5G 이동통신이나 와이파이(WiFi) 같은 무선전파통신으로 연결돼 목소리뿐 아니라 영상까지 주고받을 수 있도록 진화했다.

유선통신은 전기선이나 광통신선을 이용하고, 무선통신은 안테나로 전파를 공중에 쏘아 사용한다. 육상에서 무선통신을 할 때에는 대기 중에서 전파되는 '전자기파'를 사용한다는 얘기다.

그런데 물속에서도 전자기파 통신이 가능할까. 요즘 출시되는 휴대전화에는 방수기능이 있다. 실험에 의하면 수면에서 아래로 수십㎝까지는 공기 중 전파가 물속을 통과할 수 있어 휴대전화로도 통신이 가능하다. 사람이 물속에 빠졌다 하더라도 수면 근처에 머무는 상황이라면 휴대전화로 어느 정도 통신이 가능하다.

그러나 수m 이상의 물속 깊이에서는 휴대전화 전

파가 물에 흡수된다. 이렇게 되면 통신은 불가능하다. 공기 중에서 전자기파가 날아드는 상황뿐만 아니라 물속에서 물속으로 전자기파를 방출해도 마찬가지다.

그렇다면 물속에서는 어떤 방법으로 통신하는 것일까. 물이 탄성이 좋다는 특성을 이용해 탄성파의 한 형태인 '음파'를 이용한다. 전파 대신 음파를 이용해 육지에서 전화를 하듯 수중통신을 할 수 있다. 물속에서는 음파가 잘 전달되기 때문에 음파에 정보를 실어 보낸 뒤 받는 곳에서 정보를 분리하면 된다. 이렇게 하면 음성이나 영상, 문자 정보 등을 물속에서 무선으로 주고받을 수 있다.

기찻길에서 기차가 오는지를 알아보기 위해 자신의 귀를 쇠로 만든 철로에 대어본 적 있을 것이다. 이때 기차 바퀴의 진동과 소리가 느껴졌던 건 바로 쇠라는 매질의 특징 때문이다. 쇠로 만들어진 철로가 공기보다 탄성이 좋아서 멀리 있는 기차 소리도 철로를 통해 전달되는 것이다.

수중에서 음파의 특성을 이용해 최근에는 침몰하는 선박의 내부 소리를 잠수부가 청취하는 재난통신기술이 연구되고 있다. 삼면이 바다인 한국에선 매년 크고 작은 선박 침몰사고가 끊이지 않고 발생한다.

2014년 세월호 참사처럼 전 국민에게 통한의 눈물을 흘리게 한 사고도 그 가운데 하나다.

배는 아래쪽 무게중심이 위쪽으로 이동하면 침몰할 수 있다. 배가 뒤집힌 상태로 물속으로 들어가는 이유다. 침몰 순간이나 침몰 후 '에어포켓' 등의 효과로 배는 잠시 수면 또는 수중에 떠 있을 수 있다. 그러다가 시간이 지나면서 배는 완전히 침몰해 해저로 가라앉는다.

이 에어포켓 덕분에 침몰 사고 초기에는 배 안에 사람이 살아있을 가능성이 있다. 한국해양과학기술원은 뒤집힌 배 안에 생존자가 있는지를 알아보기 위한 기술을 최근에 개발했다. 침몰한 배에서 구조자가 눈으로 직접 생존자를 볼 수 있으면 좋겠지만, 배는 온통 단단한 강철로 이루어져 있어 내부를 볼 수 없다. 게다가 뒤집힌 배의 내부도 파손으로 온갖 물건이 뒤엉켜 있을 가능성이 커서 잠수부가 내부로 들어가더라도 쉽게 앞을 분간하기 어렵다. 이 때문에 소리를 이용해 배 안의 상태를 확인하는 것이다.

이 방법은 입수한 잠수부가 청진기와 같은 음파 수신기로 배 안에서 발생하는 소리를 배 바깥에서 듣고 생존자가 있는지를 알아내는 식이다. 아직 이 기술은 현재까지 세계 어느 나라도 성공시키지 못했다. 이런 수중 감청기술이 하루빨리 수중 사고 현장에 적용되기를 희망해본다.

6. 동해 '심해 탐사'를 시작하려면

해양영토란 '배타적경제수역(EEZ)'을 포함해 국제적으로 일정한 권리를 행사할 수 있는 광의의 확장 영토를 말한다. 이 때문에 최근 각광받는 분야는 심해공간 개척이다. 심해공간 개척이란 인간이 거주할 수 있는 생태계를 확장한다는 개념이다. 기존에는 그 대상이 주로 우주였지만, 최근에는 바다로 넓어지고 있다.

미국은 올해 정부의 연구·개발(R&D) 우선 순위를 발표하면서 14대 과학기술 중 해양과학 분야를 선정했다. 중국은 '3심 탐사전략'을 내세워 우주와 해저, 지하 공간을 영토로 확보하는 계획을 추진하고 있다. 그 일환으로 2013년 국가심해기지를 칭다오에 건설했으며, 2018년부터는 남중국해 1만m 심해에 인공지능(AI) 해저무인기지를 짓는 프로젝트를 추진 중이다. 한국도 심해 탐사에 관심을 기울이고 있다. 해양수산부는 유네스코·정부간해양학위원회(IOC)와 '지속 가능한 발전을 위한 유엔국제해양과학 10개년 계획 추진 양해각서'를 체결하고 심해 연구를 위해 노력 중이다.

하지만 한국의 심해 탐사에는 아직 많은 한계가 있다. 심해 탐사는 수심이 100m 이내인 서해나 남해와 달리 2000m 수준에 이르는 동해에서 주로 이뤄져야 하지만, 아직 체계적인 연구는 전개되지 못한 것이다. 이유는 비용이다. 깊은 바다를 탐사하기 위해서는 잠수정과 해저 로봇, 심해탐사센터가 필요하지만, 이런 장비와 시설을 구축하는 데에는 막대한 비용이 든다.

2007년 한국해양과학기술원 부설 선박해양플랜트연구소가 무인탐사정인 '해미래'를 개발해 운용하고 있지만, 실제적인 활용도 면에서는 미흡한 것이 사실이다. 잠수정을 해저에 투입하고 운용하는 데 적지 않은 예산이 필요해서다. 이 때문에 탐사는 제한적으로 이뤄지고 있다. 수상을 운항하는 온누리호나 이어도호 같은 해양탐사선에서 수온이나 염분, 탁도 등을 알아내는 센서를 바닷속에 내려 해저 환경을 측정하는 방법이 주로 쓰인다. 이런 제약으로 인해 동해에 대한 연구, 특히 심층과 해저에 대한 탐사는 지금까지 거의 전무했다고 해도 과언이 아니다. 동해 해저에 어떤 자원이 얼마나 있는지, 어떤 심해 생물이 살고 있는지에 대한 자세한 조사가 이뤄져 있지 못한 것이다.

그렇다면 지금 필요한 것은 무엇일까. 우선 체계적인 연구 지원이 있어야 한다. 개척이 필요한 대표적인 공간 중 하나인 우주에 대한 개발계획은 국가 주도로 진행되고 있으며, 매년 6000억원 이상 규모로 투자가 이뤄진다. 반면 해양·심해 탐사 분야에는 수백억원 정도의 소규모 사업별로 산발적인 투자가 이뤄지고 있다. 지원액 규모를 확대하고, 지원의 초점도 심해 탐사와 공간 확보 기술로 집중할 필요가 있다.

이런 기술을 발전시키면 많은 혜택을 얻을 수 있다. 자원을 캐내는 것은 물론 탄소포집저장(CCS)을 위한 공간을 확보하고, 해저과학기지나 해저도시를 지어 수중생활 공간을 만들 수 있다. 지진해일을 감시하고 해양학적 측면에서 기후변화 연구를 전개할 수도 있다. 저온과 고압을 견디는 새로운 소재 산업을 육성할 수 있고, 해양영토를 확보하는 외교정책적인 이점도 생긴다. 4차 산업혁명 시대를 이끄는 수중

로봇 기술과 수중의 혹독한 환경을 견디는 정밀기계, 전자 산업 등을 발달시킬 수 있다. 심해공간 탐사기술 분야는 다부처 융합사업으로 육성해 국가적인 지원을 할 필요가 있다는 뜻이다.

16세기 영국 탐험가 월터 롤리는 '바다를 지배하는 자가 세계를 지배한다'고 했다. 한국이 대양의 축소판으로 불리는 동해의 깊은 바다를 적극적으로 개척해 나갈 때이다.

7. 동해 속 오가는 '로켓형 드론'을 만들자

현대는 드론(무인기)의 시대다. 요즘 텔레비전 프로그램에서 드론을 이용해 촬영하는 기법은 일상화된 지 오래다. 시청자에게 넓은 자연 경관을 보여주는 것처럼 지상에서 살아가는 인간의 시선을 넘어서는 시각적인 풍부함을 제공한다.

그러나 현재 개발된 드론 대부분은 날개가 움직이지 않는 고정익형과 프로펠러를 탑재한 회전익형이다. 수직 이동보다는 수평 이동을 하는 데 기능이 주로 한정돼 있다. 즉 지상에서 수백m 이내로 운용 고도가 제한돼 있다. 이러한 한계를 극복하고자 최근 해외에서는 수직으로 이동하는 '로켓형 드론'을 개발하는 연구가 진행되고 있다. 이 드론은 프로펠러를 쓰긴 하지만, 로켓처럼 솟구치는 구조를 갖췄다. 상승 과정에서 기온, 먼지 같은 기상정보를 얻고 수직으로 자유낙하를 한다.

드론은 바닷속에서도 운용된다. 수중에서는 공기 중보다 저항이 크므로 고회전 프로펠러보다는 저회전 프로펠러가 이용된다. 수평 이동하는 잠수정이나 미사일 형태의 탐사형 드론 등이 개발돼 운용되고 있다. 수면에서는 수상드론, 수중에서는 자율무인드론

(AUV), 원격조종드론(ROV) 등이 쓰인다. 이러한 수중 이동체 드론도 모두 수평 이동 기능에 특화돼 있으며, 수면 근처 또는 얕은 수심에서만 활동한다는 단점이 있다.

수중에서 이러한 단점을 극복하기 위해서는 공기중에서와 같은 로켓형 방식을 채택한 수직 이동형 수중드론을 새로 설계하고 적용해야 한다. 수면부터 수천m 깊이의 심해까지 고속으로 이동하는 수직 이동 수중드론을 개발할 필요가 있다.

최근 국내에서는 이와 관련한 연구가 진행 중이다. 수심 2000m의 심해를 비롯한 해양 수중공간에 서식하는 생물을 고속으로 수직 이동하면서 카메라로 촬

영하는 게 목적이다. 이런 새로운 수중드론은 수면부터 수직으로 하강하면서 전 방향의 영상을 촬영한다. 해저 바닥까지 도달한 뒤에는 수직 상승하면서 수면에 도달할 때까지 수중 영상을 재차 찍는다.

수직 이동 수중드론은 기존 해양 연구조사선보다 낮은 비용으로 제작과 운영이 가능하고 탐사 시간이 수시간 이내로 매우 짧은 것이 특징이다. 영상 촬영과 각종 해양환경 센서를 이용한 모니터링을 효과적으로 할 수 있어 개발 뒤에는 세계적으로 큰 수요가 있을 것으로 전망된다.

또 수직 이동 수중드론은 해양 쓰레기의 분포와 바닷속 탄소 순환 작용을 밝히는 데에도 이바지할 것으로 보인다. 미기록 해양 플랑크톤을 발견해 심해 생물자원의 공간적인 분포를 연구할 수 있는 장점도 있다.

동해는 수심이 2000m가 넘으며, 전 세계 해양의 축소판이라 불릴 정도로 해양학적 중요성이 매우 높다. 새로운 탐사 수단으로 우리의 동해를 더 깊이 탐사하고 연구하는 날이 오기를 기대한다.

8. 독도 해저케이블 연결로 해양주권 지키자

독도는 넓은 동해에 외롭게 떠 있는 섬이다. 울릉도에서 87.4㎞, 동해안 울진 죽변으로부터는 216.8㎞ 떨어져 있다. 망망대해에서 독도는 대한민국의 영토로서 꿋꿋이 세월을 견디고 있다. 한국 국민이라면 독도에 대한 사랑은 그 무엇보다도 애틋하고 확고할 것이다. 그러나 그동안 우리는 독도를 위해 실질적으로 무엇을 해왔는가 반성하지 않을 수 없다.

중요한 예로 통신 문제를 들 수 있다. 동해안에서 울릉도까지는 해저광통신케이블이 연결돼 있으나 울릉도와 독도 사이에는 그 어떤 해저케이블도 설치돼 있지 않다. 한마디로 독도는 고립무원의 섬인 것이다. 일본은 1998년 독도 앞바다 26㎞까지 접근하는 해저광케이블을 설치해 운용하고 있다. 한국 영해의 범위는 독도로부터 22㎞까지이므로 일본 해저광케이블이 우리 영해 가까이 접근한 것이다. 유사시 언제든지 연장해 독도와 일본 육지를 유선망으로 연결할 수도 있는 상황이다. 심히 우려스러운 일이다.

한국에서 세계로 뻗어나가는 해저통신망은 부산과 거제 및 태안을 기점으로 인터넷 데이터를 송수신할 수 있는 광통신케이블로 구성돼 있다. 주로 중국, 일본, 동남아와 연결돼 있으며, 전 세계 인터넷 데이터 송수신의 90%를 이런 해저케이블이 담당하고 있다. 해저케이블은 유선통신뿐 아니라 전력 공급도 가능하다. 또 각종 해양관측센서도 연결할 수 있어 해양·해저 환경 연구의 인프라로 활용 가능한 장점이 있다.

울릉도와 독도 사이는 수심 2000m가 넘는 깊은 바다인데, 둘 사이를 이런 여러 기능이 융합된 '해저복합센서케이블'로 연결하면 독도에 전기를 공급하고 유선전화 같은 통신도 연결할 수 있다. 또 해저면의 수온, 염분, 해류 등을 관측하고, 특히 수중음향센서로 바닷속 생물이 내는 소리나 잠수함 및 해상 선박의 소음 등을 감지할 수 있다. 해저 지진 또한 탐지할 수 있어 매우 유용하게 쓰일 것이다.

한국은 해저광통신케이블을 자체 생산해 공급하고 있으며, 해양관측센서를 연동하는 체계도 기술 개발을 완료했다. 실제로 2014년 한국해양과학기술원은 해양센서케이블 설치 시험을 시행했다. 울릉도와 독도를 하루빨리 해저복합센서케이블로 연결해 독도에 안정적인 전력 공급과 보안 통신을 실현하고, 울릉분지의 해양과학적인 연구에 속도를 붙여야 한다. 또 이런 케이블 연결은 향후 독도 영유권에 대한 국제적인 우위를 점하는 데에도 큰 역할을 할 수 있을 것이다.

9. 동해 '바닷속 기지' 추진하는 한국

한국 과학자들은 한반도 주변 해역을 지속적으로 연구하기 위해 바다에 탑 형태로 생긴 종합해양과학기지를 건설해 운영하고 있다.

해양과학기지는 바닷물의 높이 변화와 파도, 수온, 풍향, 풍속, 습도, 일사, 방사능, 미세먼지와 같은 종합적인 해양 및 기상 자료를 실시간으로 모니터링하는 일을 한다. 이를 통해 해양과 기상 예보의 적중률을 높이고, 지구 환경 문제와 해상 교통안전, 재해 방지에 필요한 자료를 수집한다.

실시간으로 관측되는 기상 및 해양 자료는 한국의 무궁화 6호 위성중계기를 통해 기상청 등 국내외 유관기관에 실시간으로 전송된다. 한국의 종합해양과학기지에는 이어도 해양과학기지, 신안가거초 해양과학기지, 옹진소청초 해양과학기지가 있으며, 현재 울진 왕돌초 해양과학기지 건설이 추진 중이다. 이런 기지는 모두 해수면 밖으로 노출된 모습을 띠고 있다.

그런데 이렇게 해상에 설치한 해양과학기지는 깊은 수심의 해저를 탐사하는 데 제한이 있다. 동해처럼 최대 수심이 2000m에 달하는 깊은 바다를 해상에서 자세히 관측하거나 탐사하긴 어렵기 때문이다.

이런 가운데 중국은 최근 해저기지 구축에 힘을 쏟고 있으며, 미국에선 예전부터 수중기지에서 우주인 무중력 훈련을 할 정도로 이미 다양한 활용 사례를 만들고 있다.

한국 동해는 심해 연구의 최적지로서 전 세계 해양학자들에게 세계 해양의 축소판이란 평가를 받는다. 깊은 수심이 특징인 동해를 과학적으로 심층 연구하기 위해서는 바닷속에서 연구실 기능을 하는 해저과학기지가 필요하다.

해저과학기지는 유인 또는 무인으로 운영할 수 있

으며, 해저의 극한 환경에 견디는 수중실험실을 구축해 운영할 수 있을 것이다. 이는 인간이 우주 공간에 진출하기 위해 지구 궤도에 설치한 우주정거장과 같은 역할이다.

우리 인간은 우주보다 지구 내부에 대해 모르는 게 더 많다는 말이 있다. 바다에 대한 연구 또한 그러하다. 바다에 깊게 접근해 수중 생태계와 환경을 자세히 연구하기 위해서는 해저과학기지를 건설하는 것이 매우 중요하다. 한국 바다에서는 동해의 대륙붕 지역이 해저기지를 짓기에 최적의 장소로 꼽힌다.

실제로 한국해양과학기술원에서는 기지 건설을 추진하고 있다. 2030년까지 동해의 수심 200m 해저에 과학기지를 건설하겠다는 게 구상의 핵심이다. 현실화한다면 세계에서 가장 깊은 바다에 기지를 짓는 것이다.

해저과학기지를 활용하면 심해 탐사와 해양 현상 분석의 수준을 높일 수 있는 데다 수중 드론을 운영하는 전진기지로 쓸 수 있다. 국가 안보를 위한 수중 감시 체계를 만들고, 해저 생물체 연구를 하기에도 안성맞춤이다.

또 정부의 탄소중립 방향에 맞춰 해중 및 해저에 이산화탄소를 저장하는 시설을 만들거나 해상풍력으로 생산한 전기로 해수를 전기 분해해 수소를 생성하고 저장하는 일을 모색할 수 있다. 해양 구난·구조훈련 기지, 수중쉼터 시설로 활용하는 것도 가능하다.

우리의 해양영토를 관리하고, 극한의 해저탐사를 위해 해저과학기지 구축은 절실하다. 바다는 깊고, 할 일은 많다.

10. 미세플라스틱과 바다

매년 여름이 다가오면 뜨거운 날씨를 피해 계곡과 강, 그리고 바다로 피서를 즐기러 가는 사람들을 흔히 볼 수 있다. 일회용 플라스틱 컵에 담긴 냉커피 등 음료수를 하나씩 손에 들고 목을 축이며 즐거운 산책을 하는 이들도 많다.

그런데 한국에선 대부분의 공공장소에서 쓰레기통이 사라진 지 오래다. 빈 일회용 컵은 아무 데나 버려지기 일쑤다. 곳곳에 버려진 페트병과 플라스틱 컵을 볼 때면 안타까운 마음에 눈살이 찌푸려진다.

플라스틱은 석유계 물질에서 만들어진 고분자 화학

물질이다. 다양한 제조 기술과 값싼 재료, 그리고 좋은 물리적 특성 때문에 갈수록 사용이 확대되는 추세다. 문제는 플라스틱이 쓸모를 다한 다음이다. 회수되지 못하고 자연에 버려지면 햇빛과 풍화작용, 그리고 미생물에 의해 분해되는데, 그 기간이 수백년에 이른다. 더 큰 문제는 분해를 거듭하면서 '미세플라스틱(Micro Plastics)'이 된다는 점이다. 미세플라스틱은 크기 5㎜ 미만의 작은 플라스틱으로 정의된다.

이러한 미세플라스틱은 계곡이나 하천, 강을 거쳐 바다로 흘러가면서 더 작은 조각이 되며, 결국에는 어류나 해양 동물이 섭취해 생태학적으로 큰 문제를 일으키게 된다. 또한 어류를 섭취하는 인간의 몸에도 농축되면서 심각한 질병을 일으킬 수 있다고 전문가들은 경고하고 있다.

다행히 최근 해양수산부는 한국해양과학기술원의 다년간 연구 결과를 바탕으로 해양 미세플라스틱이 어류에 미치는 독성 등 유해성 환경영향 평가 결과를 발표했는데, 현재 수준으로는 큰 영향을 주지 않는다고 한다.

그러나 해당 발표 내용에서도 권고하듯이 이러한 상황이 지속되면 생태계와 어류 및 인체에 농축되는 정도가 심해져 차후에는 큰 영향을 미칠 것이라는 경고가 나온다. 따라서 지금이라도 미세플라스틱의 사용을 줄이고, 불가피하게 사용한 후에는 반드시 회수해야만 미래의 재앙을 막을 수 있다.

일각에선 초미세플라스틱도 문제라는 시각이 나온다. 호주 뉴캐슬대 연구진은 최근 초미세플라스틱이 미세먼지처럼 공기 중에 떠다닐 수 있으며, 마시는 물을 통해 한 달에 칫솔 한 개 무게(21g)가 인체에 축적되고 있다는 분석을 내놨다. 전방위적인 대응이 필요한 시점인 것이다.

피서지에서 또는 일상생활에서 모두가 조금만 신경을 써서 가능하면 플라스틱 사용을 줄여야 한다. 특

히 여름에는 일회용 냉커피를 담는 데 쓰이는 플라스틱 컵 사용이 급증하지만, 회수는 잘되고 있지 않아 장기적으로 심각한 환경문제를 발생시킬 가능성이 크다. 시원하게 냉커피를 마시되 빈 플라스틱 컵을 꼭 회수하는 습관을 들였으면 좋겠다. 종이컵을 사용하는 것도 하나의 방법이 될 수 있다.

지구 표면의 70%는 바다다. 해양 플라스틱 쓰레기 문제는 전 지구적인 재앙으로 확대될 수 있는 심각한 환경문제라는 점을 인식해야 한다. 바다의 고통은 결국 인간에게 되돌아온다는 점을 잊지 말아야 한다. 미래를 위해 범국가적인 미세플라스틱 대비책을 강구하고 실천해야 할 때다.

11. 육지에서 울릉도가 보이는 '신기'한 이유

동해에는 2개의 큰 섬이 있다. 울릉도와 독도이다. 독도는 주변 작은 암초까지 포함해 동서 및 남북 길이가 각각 약 1km이다. 높이는 서도의 경우 해발 168.5m, 동도는 98.6m이다.

울릉도는 독도보다 훨씬 크다. 동서 길이 12km, 남북 길이 약 11km이며 가장 높은 성인봉은 해발 984m에 이른다.

섬이 드문 동해에서 성능이 좋은 카메라나 망원경을 쓰면 육지에서 울릉도나 독도가 보일까. 울릉도와 독도에서 가장 가까운 거리의 육지는 경북 울진군 죽변항 인근이다. 죽변에서 울릉도는 직선거리로 약 130km, 독도까지는 약 216km다.

자, 이제부터 죽변에서 울릉도를 맨눈이나 망원경으로 바라볼 수 있는지 지구 곡률을 고려해 계산해보자. 높이 26m인 죽변 등대에서 울릉도를 바라본다고 할 때, 직선상 눈으로 볼 수 있는 수평선까지의 거리는 약 20km이다. 그 너머 물체는 수평선 아래로 잠기게 된다.

울릉도 성인봉 정상(984m) 높이를 감안하면 수평선과 울릉도까지 거리는 110㎞이다. 이를 계산하면 성인봉 정상은 수평선 바로 아래에 위치하게 돼 눈으로 볼 수가 없다.

그런데 이상한 일이 있다. 많은 사람이 죽변에서 울릉도를 맨눈으로 보거나 고배율 카메라로 촬영한 사례가 존재한다.

이런 일이 일어난 원인은 대기굴절, 즉 지구 수평선 곡면을 따라 빛이 휘는 현상으로 설명할 수 있다. 바로 신기루다.

새벽에는 고도가 높아짐에 따라 기온이 상승하는 '기온 역전층'이 형성되는 일이 많다. 이때 바다 표면 근처에는 차가운 공기가, 수십~수백m 상공에는 상대적으로 따뜻한 공기가 자리 잡는다.

빛의 속도는 차가운 공기층에서 더운 공기층보다 느려진다. 이 때문에 빛은 아래쪽으로 굴절된다. 이것이 과학자들이 말하는 신기루, 그중에서도 물체가 실제 위치보다 위쪽에서 보이는 '위 신기루' 현상을 만든다. 수평선 아래로 내려간 대형 선박이 위 신기루로 인해 수평선 위로 떠올라서 촬영되는 경우도 해외에서 많이 보고됐다.

최근에 한국해양과학기술원 동해연구소에서도 죽변에서 동틀 무렵 고해상도 카메라로 울릉도를 촬영한 경우가 여러 차례 있었다. 현재 이에 대한 과학적 분석을 수행 중이며 조만간 국제학술대회에 보고할 예정이다.

여기서 더 나아가, 죽변에서 독도를 보는 것도 가능할까. 계산해 보니 해발 1000m에 이르는 울진의 통고산에 올라간다고 해도 독도는 수평선 아래로 내려가 볼 수 없었다. 하지만 대기굴절이 생기면 상황이 달라졌다. 통고산 정상에서는 독도의 절반 정도가 보일 것으로 예측됐다.

지금까지 한국 육지에서 독도를 직접 보거나 촬영한 사례는 전혀 없다. 독도와 가장 가까운 울진에서 독도를 대기굴절 현상으로 인해 실제로 촬영하는 데 성공한다면 이는 매우 가치 있는 일이 될 것이다. 앞으로 대기굴절 효과를 검증해 내는 사진 촬영가들이 꼭 나타나길 기대해 본다.

제2장 미래를 여는 소리과학

1. 소리에 투명한 '스텔스 잠수함' 기술

물'소리(음향) 메타물질'은 독특한 성질을 지녔다. 특정 물체 표면에 인공적인 구조나 형태를 만들어서 입사되는 소리를 흡수하거나 굴절시키는 역할을 한다. 이렇게 되면 소리가 마치 사라진 것 같은 효과가 나타난다.

메타라는 말은 '초월'이라는 뜻이다. 일반적인 물질 특성을 넘어서기 때문에 사용하는 표현이다. 최근 전자기파 분야에서 이러한 메타물질 특징을 전투기나 미사일에 적용하는 연구가 진행되고 있다. 적군 레이더에 탐지되기 어렵게 하는 것이 목적이다.

요즘에는 소리를 대상으로도 메타물질에 관한 연구가 많이 이뤄지고 있다. 어떤 원리로 소리가 사라지는 것일까. 물질 표면 구조를 특수하게 만들어서 탄성률이나 굴절률 등의 음향 물질 변수를 변화시키는 것이 핵심이다. 이렇게 만들어진 소리 메타물질은 소리는 물론 진동, 지진 등 탄성파에 대해 특이한 성질을 갖도록 만들 수 있다.

이 때문에 소리 메타물질의 잠재적인 용도는 다양하다. 진동을 흡수해 주택 층간소음을 줄이는 효과를 낼 수 있다. 각종 장비에서 나오는 진동을 제어해 작업장의 안전 수준을 높일 수 있다.

특히 지진이 발생했을 때 건물이 지진에 영향을 적게 받도록 할 수 있다. 이는 일반 건물뿐 아니라 원자력발전소에서 매우 유용한 기술이 될 것이다.

하지만 소리 메타물질이 가장 주목받을 곳은 바닷속이다. 바닷속에서 활동하는 잠수함 표면에 소리 메타물질을 붙이면 적 함정의 추적을 피할 수 있다. 지상에서 레이더 역할을 하는 수중음파탐지기(소나)에서 발생한 소리가 아군 잠수함에 도달한다고 해도 소리를 흡수하거나 굴절시킬 수 있어서다.

적 함정의 소나가 아군 잠수함의 존재를 인식하지 못하도록 하는 것이 가능하다는 얘기다. 아군 잠수함은 실제로는 존재하지만, 적 입장에서는 사라진 셈이 된다.

이런 기술이 구현된 잠수함을 '투명 잠수함' 또는 '스텔스 잠수함'이라고 지칭한다. 기존의 스텔스 기술은 잠수함 표면에 흡음 물질을 칠하거나 흡음재를 붙이는 형태로 실현됐다. 그러나 소리 메타물질이 개발되면서 소나 주파수를 강하게 회절시키거나 굴절시키는 기술 실현도 가능해졌다. 최근 국내에서도 메타물질을 이용한 음향제어 기술을 통해 잠수함 같은 수중 물체에 입사되는 소리를 굴절시키는 연구가 진행된 바 있다.

다만 스텔스 잠수함을 실현하려면 아직 넘어야 산이 많다. 수중에서 잠수함이 이동할 때 나타나는 물의 소용돌이와 유체역학적인 영향까지 검증되지는 않았기 때문이다. 더 심층적인 연구가 필요한 상황이다.

하지만 소리 메타물질은 음향전문가들이 다양한 연구를 진행하고 있어 머지않은 미래에 실용화가 이뤄질 것으로 기대된다. 소리 메타물질은 미세 구조부터 거대 구조 모두에 적용할 수 있어 향후 관련 연구가 만든 결과는 군사 분야는 물론 우리 생활 전반에서 중요한 변화를 불러올 것으로 보인다.

2. 음파로 수온·해류 변화를 진단하는 기술

전파를 이용하는 장비인 '레이더'는 특정 물체를 탐지하는 데 매우 유용하다. 레이더에서 방사되는 전파의 송수신에 걸리는 시간 차이와 수신 전파의 강도를 분석하면 특정 물체의 거리, 크기 등을 자세히 판별해낼 수 있다.

그런데 공기 중이 아니라 물속이라면 어떨까. 레이더 전파를 물속에 투과시키면 불과 수백m도 나아가지 못한다. 전파 대부분이 물에 흡수돼 에너지가 소멸하기 때문이다.

이유가 뭘까. 물 분자는 수소와 산소 원자로 이뤄져 있다는 점에 주목할 필요가 있다. 수소 원자는 양전하를 띠고 있는데, 산소 원자는 반대로 음전하를 띤다. 이와 같은 극성 분자는 전자기파의 전기장이 양과 음으로 진동할 때 양과 음의 방향이 서로 뒤바뀌면서 매우 빠르게 회전한다.

바로 이때 분자들끼리 서로 밀고 당기고 충돌하면서 전파에너지가 열에너지로 바뀌며 점점 물에 흡수된다. 우리가 실생활에서 사용하는 전자레인지는 이런 원리를 이용한 가전기기다. 이런 현상을 감안할 때 바닷속에서는 공기 중 레이더와 같은 역할을 하는, 다른 장치가 필요하다. 그래서 개발된 것이 소리를 이용한 '소나(sonar)'다. 소나를 '소리 레이더'라고 부르는 이유도 여기에 있다.

물속에서 활용되는 소나는 사방으로 보낸 소리 파동이 특정 물체에 부딪쳐 다시 돌아오는 현상을 이용한다. 돌아오는 소리를 받아 물체를 판별하는 장치인 것이다. 소나는 전파가 아닌 소리를 토대로 물체가 얼마나 떨어져 있는지, 크기는 어느 정도인지 등을 감지해 낸다.

소리를 이용한 주목되는 또 다른 기술도 있다. 바다를 단면으로 자른 효과를 내 특정 해역의 물리적

특성을 추정하는 기술이다. 이는 병원에서 사용하는 '컴퓨터 토모그래피(CT)', 즉 컴퓨터 단층촬영과 원리가 같다. 커다란 통 속에 사람이 들어가면 사람 몸의 단면을 부분별로 촬영하도록 제작된 첨단 장비다.

바다에서도 이런 기술이 활용된다. 바로 '소리 토모그래피'다. 소리 파동을 이용하는 기술로, 먼 거리까지 전달되는 소리의 속력 차이를 이용한 탐지 기술이다. 바다를 수직으로 잘랐다고 가정한 단면에서 수온과 해류의 모양을 알아낸다.

동해 울릉도 앞바다 물속에서 소리 파동을 발생시켜 독도 앞바다에서 이를 수신하면 그사이에서 일어나는 수온이나 해류 변화에 따라 소리 파동의 도달

시간이 변하는 것을 알 수 있다. 이 기술로 과학자들은 국경을 초월해 태평양 수온 변화를 큰 규모로 관측하기 위한 연구를 최근 수행한 바 있다. 태평양 수온 변화 양상을 전체적으로 알게 되면 엘니뇨나 라니냐의 변화를 일상적으로 관측할 수 있고, 이를 바탕으로 한국을 비롯한 태평양 연안국들의 기후변화도 예측할 수 있다.

해양조사선에서도 이런 기술을 사용한다. 배 뒤편에서 '에어건'이라는 소리 파동 발생기를 끌면서 강한 저주파 소리 파동을 발생시킨다. 그러면 해당 소리 파동이 물속을 거쳐 해저면까지 투과한 후 해저면 땅속의 여러 부분에서 반사되면서 센서로 돌아온다. 이를 이용하면 해저면 아래 놓인 지층 구조를 추정할 수 있다. 이 또한 일종의 소리 토모그래피 기술이다.

이처럼 소리를 이용하면 전파를 사용할 수 없는 심해의 어두운 곳을 촬영하는 효과를 낼 수 있다. 기후변화 등 전 세계적인 문제에 대응하기 위한 바닷속 관측에 소리를 이용한 탐사 기술이 더욱 다양하게 활용되기를 기대한다.

3. 소리 시역전 기술이 여는 에너지 집속

'파동'이란 어떤 에너지가 시간적인 흐름에 따라 공간에 전파되는 현상을 말한다. 전자기파 등 빛도 파동이다. 소리 또한 파동이다. 빛은 매질이 없는 텅 빈 진공에서도 전달되지만 소리는 탄성을 일으키는 매질, 즉 공기와 물, 고체 등을 통해서만 전달된다는 차이가 있다.

만약 시간을 거꾸로 돌린다면 파동에는 어떤 현상이 일어날까. 단순히 생각하면 파형을 반대로 구성해 시간을 거슬러 전개하면 될 듯하다. 음색이 달라지지만, 그다지 특별한 상황이 발생하지는 않을 것 같다.

그러나 공간적으로 보면 얘기가 달라질 수 있다. 음원에서 발생한 소리가 사방으로 퍼지면서 특정한 방 안에서 전파된다고 생각해 보자. 공기 중으로 방사된 소리는 사방의 벽면에서 반사될 것이다. 그 과정에서 세기가 줄어들며 여러 방향으로 복잡하게 전파될 것이다.

이때 방 안 한 곳에서 내가 그 소리를 듣는다고 생각해 보자. 여러 방향에서 오는 소리가 울림을 일으키면서 귀에 감지될 것이다.

그러면 여기서 내가 들은 소리를 시간상으로 되돌려 시역전된 파형을 다시 발생시킬 수 있다고 생각해 보자. 나에게서 발생된 시간 역전된 파형은 애초에 내게 수신됐던 소리 전파 경로를 역으로 진행해 원래 소리가 발생했던 공간 지점으로 모이게 될 것이다. 사람의 목소리라면 '입'이 이에 해당한다.

이것이 바로 '시역전 음향 기술'의 원리이다. 시역전 음향 기술은 수십년 전부터 학계에서 알려져 왔으며, 소리뿐 아니라 빛에도 적용할 수 있다. 수많은 논문이 발표됐으며, 현재도 많은 연구가 진행되고 있다.

시역전 음향 기술로 얻을 수 있는 이점은 무엇일까. 우선 '파동 에너지 집속 현상'을 꼽을 수 있다.

최초의 연구는 1990년대 프랑스에서 개념적으로 제시됐으며, 현재까지도 전 세계에서 많은 연구가 이뤄지고 있다. 필자 또한 2000년대 초 미국에서 관련 실험을 1년여간 진행한 바 있으며, 소리 에너지가 시간 역전 현상을 통해 성공적으로 원래 공간에 다시 모인다는 점을 확인했다.

이런 기술은 우선 무선 충전 분야에서 응용할 수 있다. 현재는 전기장이나 자기장에서 생성되는 전자기파로 휴대전화 무선 충전을 하고 있으나 충전 장치와 휴대전화가 수㎝ 이내로 접촉해야 한다는 단점이 있다.

시역전 음향 기술을 이용한 에너지 집속을 이용하면 실내 공간에 놓인 내 휴대전화가 무선 충전기와 멀리 떨어져 있더라도 전기를 보충하는 일이 가능하다. 다만 현재는 공간 내에 방사되는 전자기파 세기가 특정 수준 이하로 규제돼 있어서 실제 에너지 집속 효율이 낮다. 이 때문에 현재는 실용화되지 못하고 있다.

그러나 좀 더 기술 개발이 이뤄진다면 조만간 언제 어디서나 자신의 휴대전화가 무선으로 자동 충전되는 세상을 경험하게 될 것이다.

시역전 음향 기술을 이용한 에너지 집속을 활용할 수 있는 분야는 또 있다. 구조물 진단이나 인체 검진, 기뢰·지뢰 탐지에 응용할 수 있다. 또 원하는 사람과만 교신할 수 있는 보안 통신, 바다 등 물속에서 의사 교환을 할 수 있는 수중통신에도 쓸 수 있다.

한국에서는 아직 생소한 분야인 시역전 음향 기술에 대한 기존 과학자, 그리고 미래의 주역인 학생 연구자들의 많은 관심과 탐구가 필요한 시점이다.

4. 음색이 보여주는 신비한 세계

우리가 듣는 소리에는 색깔이 있다. 이것을 말 그대로 '음색(timbre, tone color)'이라고 부른다.

같은 음을 내더라도 피아노 소리인지 기타 소리인지를 구분할 수 있는 것은 음색 때문이다. 같은 악기라도 연주 기법에 따라 느낌이 달라지는 것 역시 음색 변화에서 비롯되는 일이다.

사람 목소리를 듣고 누구인지를 판별할 수 있고, 모르는 사람의 목소리라도 감기에 걸린 상태인지 아닌지를 알 수 있는 것도 음색의 영향이다.

음색은 소리 파동의 형태가 결정한다. 파동 형태는 소리의 크기, 배음 주파수, 시간적 파형 변화 등으로 만들어진다. 즉 같은 소리라도 그 크기가 달라지면 느낌이 달라지며, 주파수의 배음 구조에 따라 같은 음높이라도 느낌이 구별된다. 또 시간상으로 어떻게 파형이 구성되느냐에 따라서도 음색이 달라진다.

바이올린은 최고의 음색을 지닌 악기라는 명성을 가지고 있다. 4옥타브 이상의 음역을 가지며, 반음을 자유롭게 낼 수 있다. 사람의 목소리 톤에 근접한 주파수 대역을 지니고 있어서 연주를 들은 사람은 풍부한 감성을 느낄 수 있다. 바이올린은 구조적으로 공명을 다양하게 일으켜 여러 음색을 잘 표현한다.

요즘은 휴대전화로 음악이나 영상을 많이 듣거나 본다. 휴대전화에 장착된 이퀄라이저 기능을 조절해 보면 저음 또는 고음을 강하게 들을 수 있는데, 이러면 음색이 달라지는 경험을 할 수 있다. 또한 음악당에서 오케스트라 연주를 감상하면 강렬하고 풍부한 소리를 듣게 되는데, 이는 음악당 내부의 공간 울림 효과가 더해져서 음색에 영향을 주기 때문이다.

사람 목소리에서 비롯되는 음색은 방송국 아나운서의 목소리를 통해 중요한 특징을 파악할 수 있다. 아나운서의 목소리는 안정적이고 절제돼 있다. 이는 발성법 등을 통한 훈련이 사람들이 선호하는 음색으로 목소리를 바꾸기 때문이다. 그래서 아나운서들의 목소리는 대부분 비슷한 음색으로 들린다.

사회적으로 심각한 문제로 대두되고 있는 보이스피싱범의 전화 목소리를 식별하기 위한 노력에도 음색이 쓰인다. '성문', 즉 음성 지문 분석 기술이 국립과학수사연구원에서 활용되고 있다. 이때 소리나 파동을 시각화하는 장비인 '스펙트로그램'이 음색 판별에 사용되는 기술이다.

음색은 인간 정서에도 많은 영향을 준다. 이 때문에 쾌적한 음색, 불쾌한 음색, 편안한 음색 등을 만들고 연구하기 위한 노력이 필요하다. 이런 환경을 고려한 음색에 대한 세심하고 다양한 접근은 심리 음향 치유는 물론 악기와 음향 기술, 사람 목소리 연구, 각종 소음에 대한 평가 등 광범위하게 적용될 수 있다.

앞으로 인공지능(AI)이 접목돼 음색 연구가 확장된다면 옛사람의 목소리를 구사하는 가상인간을 컴퓨터 네트워크 안에 만들거나 원로 가수의 노래를 복원할 수 있을 것이다.

다만 음색에 대한 정의는 아직도 명확하지 않으며, 관련된 여러 학문 분야에서 여러 주장과 논쟁들이 진행 중이다. 따라서 앞으로 다양한 방향의 연구를 통해 많은 분야에 응용될 수 있는 음색 연구가 활성화되기를 희망한다. 음악가와 연주가, 음향학자, 물리학자, 심리학자 등의 관심과 노력이 필요하다.

5. 감정을 움직이는 특효약 '소리'

사람의 감각은 크게 다섯 가지로 나뉜다. 바로 시각, 청각, 후각, 미각, 촉각이다. 소리는 이 가운데 청각을 통해 뇌로 전달된다. 청각은 24시간 내내 작동하는 경보 시스템으로 알려져 있다. 신경세포가 소리를 감지하는 데 걸리는 시간도 50ms(밀리초, 1ms는 1000분의 1초)로, 다른 감각들과 비교할 때 가장 빠르다.

우리는 소리가 놀람과 두려움 같은 가장 원초적인 감정과 민감하게 연관된다는 점을 경험적으로 알고 있다. 청각이 동물의 생존에 가장 중요한 감각으로 자리 잡아 온 것이다.

동물의 귀는 두 개인데, 공간적으로 머리의 좌우에 분포한다. 어떤 소리가 들리면 좌우 귀로 들어오는 소리의 시간 차이를 통해 소리의 근원이 어느 방향에 있는지를 우선 탐지할 수 있다. 눈을 감고 있어도 소리가 나는 방향을 알 수 있는 것은 바로 이 때문이다. 생물에게 소리의 방향을 알아내고 대응하는 것은 생존에 있어 매우 중요하다.

그 뒤 청각은 소리의 정체를 파악하려고 노력하게 된다. 동물이 우는 소리인지, 자연의 폭포 소리인지 등을 파악한다. 대상을 파악하는 것 또한 생물의 생존에 매우 중요한 요소이다.

인간의 경우 발성 구조의 발달을 통해 목에서 다양한 소리를 내는 일이 가능해졌으며, 이로 인해 점차 언어가 발달했다. 그러므로 들리는 소리가 사람이 내는 소리인지, 또 한국어인지 영어인지 등을 분별해 낼 수 있다.

특히 소리는 인간의 감정과 매우 밀접한 관계를 지니고 있다. 시각장애인은 사물을 보지 못하기 때문에 소리를 더욱 민감하게 느끼며, 일반인과는 달리 소리에서 더 많은 정보를 획득한다. 반면 청각장애인은 소리를 못 느끼고 눈으로만 대상을 보기 때문에 시각적인 변화에 불안한 마음을 느낀다고 한다. 감정을 다루는 청각 정보가 차단됐기 때문이다.

소리는 감정과 밀접하기 때문에 인간의 감동과도 깊은 관련을 지닌다. 자장가를 들려주면 아기가 편안하게 잠을 자는 것이 좋은 예이다.

소리가 없다면, 또는 소리를 느끼지 못한다면 사람은 감흥을 잘 느끼지 못하는 상태가 될 수 있으며, 오직 자기 몸 내부에서 발생하는 청각 감각질을 통해 내부적으로 감정을 만들고 느끼게 된다. 이 때문에 최근에는 청각장애인을 위해서 피부 등에 부착하는 소리 감지 센서도 개발되고 있다.

인간 사회에서 소리는 사물에 관한 많은 정보를 주고, 감정을 좌지우지하는 강력한 역할을 하고 있다는 점이 점차 밝혀지고 있다. 소리는 주기적인 진동으로 이뤄진다. 인간 또한 맥박과 걸음 등에서 볼 수 있는 것처럼 몸에 주기적인 진동 체계를 지니고 있다. 이러한 진동 체계가 흔들릴 때 감정이 작동한다.

우리는 소리가 주는 인간의 감정에 대해 더 세밀하게 생각해 볼 필요가 있다. 소리는 감정을 주는 도구이며, 또한 감정을 표현하는 도구이기도 하다. 때로

침묵이 안정감을 주는 이유도 우리가 소리에 너무 많이 노출돼 감정 상태가 안정화되지 못한 데에 한 원인이 있다고 할 수 있다.

소리가 주는 영향을 잘 이해해 인간 생활을 더 안전하고 편안하게 만들 방법을 찾는 것이 중요한 때이다. 소리에 대한 과학적인 이해와 연구가 더욱 발전하기를 기대한다.

6. 소음 스트레스 그만, 조용한 지구 만들자

인간은 지구상에서 유일하게 '도시 생태계'를 구축한 생명체이다. 올해 기준으로 지구 인구는 80억명을 넘어섰다. 이렇게 많은 인구 대부분이 거주하는 도시는 각종 공장과 일상의 편의시설에서 발생하는 온갖 소음들로 가득 차 있다. 인간이 만들어낸 기계 소음이다.

기계 소음은 회전 동력을 전달하는 원동기나 모터에서 주로 발생한다. 공기를 가르는 날개, 즉 선풍기, 환풍기, 풍력발전기, 비행기 등에서 생기는 경우가 많다. 이러한 인공적인 소음은 자연에서는 느낄 수 없는 과도한 수준의 소리를 낸다. 지구상 생명체들에게 많은 스트레스와 피해를 주는 것이다.

지름이 약 1만2000km에 이르는 지구에서 우리가 살아가는 공간은 지구 표면에서 높이 10km 안쪽에 집중돼 있다. 우주적인 관점에서 본다면 아주 얇은 막으로 구성된 대기권 내에 생태계가 만들어져 있다는 뜻이다. 그런데 이 공간에 각종 기계류가 만든 다양한 소음이 꽉 들어차 있다는 것이다. 이처럼 생태계가 소음으로 교란되는 일은 지구 역사상 유례가 없던 현상이다.

환경에 방출되는 소음을 줄여야 하는 구체적인 이유가 뭘까. 일단 인간의 관점에서 본다면 청각의 중요성 때문이다. 청각은 오감 중 하나이다. 소리 없이 주변의 정보를 습득하고 이해하는 일은 어렵다.

예를 들어 영화관에서 소리 없이 화면만 본다면 아무 감흥이 없을 것이다. 눈으로 보이지 않는 것을 소리를 통해 감지하기도 한다. 소리를 바탕으로 공간에서 어떤 사물의 위치를 파악할 수도 있다.

그런데 인공적인 소음들이 수시로 우리의 귀로 들어오면서 청각을 교란하고 스트레스를 유발하는 것이다.

소리는 생명체의 감정 상태와 밀접한 관계를 맺고 있다는 점이 최신 뇌과학에서 밝혀지고 있다. 사람은 물론 생태계 전체를 위해 어떻게 하면 소음을 줄일 수 있을지를 고민해야만 하는 시점이다. 각종 소음에 노출된 생명체들이 과도한 스트레스를 받는 상황을 바꿔야 할 때이다.

인공적인 소음을 줄이기 위해서는 결국 회전하는 기계류의 저소음화 기술이 발전해야 한다. 자동차 바퀴의 노면 마찰음, 환풍구 덕트의 공기 진동음, 에어컨 실외기와 건설 기계에서 발생하는 각종 소음 등이 대상이다. 음향 분야 과학자들이 해결할 과제다. 소음의 원인을 규명해 해소할 수 있는 방안을 고민하고, 정부의 지속적인 지원을 통해 돌파구를 마련해야 한다.

본격적인 산업화 이전, 자연 생태계는 편안한 소리로 가득 차 있었다. 파도 소리, 계곡물 소리, 바람 소리, 빗소리, 새소리 등이다. 이런 소리에 생명체는 오랜 기간 익숙해져 있었다. 그러나 인간이 지구를 점령하면서 바뀌었다. 도시가 생기고 각종 산업이 거대한 수준으로 발전하며 인공적인 소음으로 지구가 가득 찼다.

인공 소음으로 스트레스 받지 않는 세상을 만들어야 질 높은 생활, 안정된 자연 생태계를 만들어갈 수 있다. 많은 사람이 관심 가지고 소음 감소 문제를 고민하고 해결해 나가는 노력을 해야 할 때다.

7. 바다에 귀를 기울이면, 기후변화가 들린다

바다에서 수면 아래 100m 깊이까지는 광합성이 잘 일어난다. 여기선 수면 밖에서 비치는 햇빛이 닿기 때문이다. 하지만 그보다 깊은 곳에서는 빛이 거의 사라진다. 이 때문에 광합성도 어렵다. 심해에선 지상이나 얕은 바다와는 다른 생태계가 펼쳐진다는 뜻이다.

한국 서해와 남해의 경우 수심이 100m 이내이다. 반면 동해는 수심이 2000m를 넘는 곳도 많다. 이 때문에 동해의 심해 암흑층에서는 아무것도 볼 수가 없다. 인공적인 빛을 발생시키더라도 전달되는 거리는 최대 100m 이내로 한정된다.

하지만 이렇게 암흑인 바다 깊은 곳에서도 많은 해양 생물이 살아가고 있다. 그러면 이런 생물들은 어떻게 주변을 인식하고 서로 소통할까.

열쇠는 소리에 있다. 물은 탄성이 매우 좋아서 소리를 멀리까지 잘 전달하는 특성이 있다. 많은 수중 생물은 서로 소리를 내고 소통하면서 환경에 잘 적응하고 있음이 밝혀지고 있다. 고래류는 깊은 바다까지 내려가 아주 낮은 소리를 내는데, 이런 소리는 수백

㎞까지 전달되기도 한다. 이처럼 바닷속에서 소리는 수중 생태계에 많은 영향을 끼치고 있다.

최근에는 바닷속에서의 소리가 기후변화와 관련이 있다는 연구가 발표된 바 있다. 지구의 기후변화가 수중 소리의 전달력을 증가시킨다는 것이다. 기후변화는 바다의 수온을 높이고 있으며, 이에 따라 수중 소리의 전달 속도 또한 높인다고 분석된다.

기후변회로 인해 극시방을 중심으로 해저지진의 활성 빈도가 증가할 수 있다는 보고도 있다. 지상에 있는 빙붕이 녹으면 지각이 하늘 방향으로 솟아오르는데, 이런 움직임이 지진을 유발한다는 뜻이다. 바닷속에서 산사태가 일어나고, 쓰나미가 발생할 수 있다.

쓰나미의 넓은 피해 범위를 감안하면 한국에서도 기후변화와 지진의 관계에 대해 주목해야 할 때로 보인다.

이 밖에 해저지진이 발생하는 수중의 소리를 분석하면 바다의 수온 변화를 알아낼 수 있다고도 한다. 이처럼 수중 소리는 지구의 기후변화 양상을 반영하는 거울이라 할 수 있다.

국내 연구진이 최근 한국 주변 바닷속에서 발생하는 수중 소리를 10여년간 관측해 통계적으로 분석한 결과, 수중 소리가 조석·조류 변화와 매우 밀접한 관계가 있음이 밝혀졌다. 즉 수중 소리의 장기 변화를 보면 한국 주변 바다의 조석과 조류 변화를 예측할 수 있다는 것이다. 생태계에 미치는 지구 기후에 대한 개념은 최근에는 ‘기후적응 시대’로 나아가고 있다. 기후변화 양상을 인간의 과학적인 활동과 노력으로 완전히 바꾸기에는 어렵다고 생각하는 학자들이 늘어나고 있으며, 이제는 기후변화에 적응하는 방법을 연구해야 하는 시대가 됐다는 의미다. 이런 시대에 필요한 해법을 수중 소리에 대한 연구가 제시해줄 수 있을 것으로 보인다.

우리가 쉽게 들어갈 수 없는 심해를 포함한 바닷속에 지구 생물의 80%가 산다. 이러한 바다 생물권에 관한 동향은 물과 같은 탄성체의 소리를 통해 간접적으로 파악할 수 있게 됐다. 심해 등 수중을 탐사하고 관측해 기후변화와의 관련성을 파악하는 연구에 한국 해양과학자들이 중요한 역할을 해줄 것으로 기대한다.

8. 땅속 읽는 '탄성파', 구조현장 희망 될까

우리의 감각으로 살펴보면 지구는 평탄한 것처럼 느껴진다. 하지만 우주에서 확인할 수 있듯 지구는 공처럼 둥근 모양이다. 바다는 이런 지구 표면의 70%를 차지한다. 우리가 숨 쉴 수 있는 공기는 지구 표면 10㎞ 높이에 대부분 모여 있다.

이런 지구에서 소리는 '탄성 매질'을 통해 전달된다. 지구 표면은 공기, 땅(지면), 물(바다)로 구성되는데, 탄성은 땅이 가장 좋고, 물 그리고 공기가 뒤를 잇는다. 탄성이 좋은 매질일수록 소리의 전달 속도는 빠르다. 땅속에서 소리는 초당 약 6000m, 물속에서는 1500m, 공기 중에서는 340m로 나아간다.

이제 땅속을 주목해보자. 지구의 지름이 1만2000㎞이므로 지구의 한쪽 표면에서 정반대 표면까지 땅속으로 소리가 전달된다면 단순하게 계산해서 2000초, 즉 30분 정도면 지구 반대편까지 소리가 도달할 것이다. 과거에 과학자들은 지구 표면의 여러 곳에 '탄성파 감지기'를 설치한 후 한곳에서 탄성파를 발생시켜 각기 다른 지표면에 도달하는 시간 차이를 측정했다. 이를 통해 지구 내부는 균일한 성질로 구성된 것이 아니라는 사실을 알았다.

지구 표면은 지각으로 구성되고, 그 안쪽으로는 맨틀과 핵이 차례로 분포해 있다는 사실을 파악했다. 땅속은 어떤 첨단 장비로도 직접 깊이 들어가 탐사할 수 없으며, 전파 등으로도 내부를 탐지할 수 없다. 유일하게 탄성파, 즉 소리로 지구 내부의 구조를 밝혀온 것이다.

최근에는 지구 표면 여러 곳에서 자연적인 지각 변동으로 일어나는 탄성파의 일종인 지진파를 이용해 지각의 운동과 특성을 알아내고자 하는 노력이 나타나고 있다. 지진파는 지구가 내는 신음 소리라고 해도 과언이 아니다. 지진파 감지를 통해 우리는 지구 내부가 현재 어떤 상태로 움직이고 있는지를 연구해 다가올 미래에는 어떻게 지구 내부가 변화할 것인가를 추정할 수 있다. 지구 내부를 탄성파의 성질을 이용해 탐사하는 기법을 '단층촬영'이라고 한다. 이것은 수신된 탄성파의 변화를 이용해 지구 내부의 물성과 구성 요소 등을 역으로 추정하는 기법이다.

탄성파는 지구 내부를 들여다보는 데에만 쓰는 건 아니다. 얼마 전 튀르기예에서 발생한 큰 지진으로 건물들이 순식간에 무너지며, 많은 사람들이 잔해에 묻혔다. 여기서 문제는 잔해 속에서 살아있을 수 있는 사람들을 탐지해낼 마땅한 수단이 없었다는 점이다.

여기서 소리과학을 활용한 실종자 탐지 기술을 제안하고자 한다. 소리는 탄성파이며, 콘크리트나 땅속으로 잘 전달된다. 이를 이용하면 잔해 속에서 나는 사람 소리를 증폭해 효과적으로 수신할 수 있는 집속 안테나형 감지기를 개발할 수 있다. 훨씬 효과적으로 생존자의 목소리, 그리고 잔해를 두드리는 소리를 잡아낼 수 있을 것이다. 탄성파를 인위적으로 발생시켜 잔해 속 인체에 반사되면 이를 식별할 수 있는 능동형 감지장치를 개발하는 것도 가능할 것으로 보인다.

소리과학은 많이 알려진 과학 분야이지만 현대에 와서는 전파나 빛, 양자 등을 연구하는 추세에 밀려 상대적으로 투자가 저조한 것이 사실이다. 소리과학은 지구에 대해 더 많이 파악할 수 있게 하고, 재난을 극복하는 방법도 만들 수 있다는 점에 주목할 필요가 있다.

9. 빛·입자·파동에…'시끌시끌'한 우주

우리는 귀를 통해 외부의 소리를 듣는다. 소리는 기체인 공기, 액체인 물을 비롯해 여러 고체와 같은 '탄성매질'을 통해 전달된다. 아무 물질이 없는 텅 빈 공간에서는 소리가 전달될 수 없음을 누구나 잘 알고 있다.

그런 맥락에서 우주는 대부분 텅 빈 공간으로 이뤄져 소리가 전달되지 않는다고 생각할 수 있다. 그러나 소립자들의 거대한 흐름인 태양풍처럼 소립자들이 우주에서 여러 방향으로 방사돼 공간을 채우고 있다는 점에 주목할 필요가 있다. 소립자들이 탄성매질 역할을 한다면 소리가 만들어지거나 전달될 수 있다.

소립자들의 진동이 소리를 만들어낼 수 있고, 만들어진 소리가 소립자로 이뤄진 매질을 타고 지구까지 전달될 수 있다는 뜻이다.

지구 외부에서는 우주탐사선을 이용해 태양풍의 소리를 듣기도 한다. 소립자 검출 센서에 들어오는 소립자의 충격을 소리로 바꾼 것이다. 우리가 들을 수 있는 가청 주파수로 변환해 신비한 소리를 느낄 수 있다. 초신성과 중성자별에서 오는 빛, 그리고 태양이나 태양계 행성에서 날아오는 전파 방출도 소리로 들을 수 있다.

이는 우주가 결코 적막하지 않다는 뜻이다. 단지 우리가 들을 수 있는 직접적인 소리로 전달되지 않기 때문이지, 검출기를 이용해 얼마든지 소리로 변환해 들을 수 있는 것이다.

전파도 소리와 마찬가지로 본질적으로는 파동이다. 근원은 다르지만, 진동 현상이라는 면에서는 성격이 같다. 우리는 청각이라는 센서로 오직 '매질 진동'만 듣게끔 진화해왔다. 모든 파동 현상을 소리 진동으로 변환시킬 수 있으며, 우리가 원한다면 수면파의 물결 진동이나 대기의 오로라 진동도 모두 소리로 변화해

들을 수 있다.

놀라운 것은 우주의 시초인 빅뱅에서 발생한 우주의 전파 배경 잡음, 즉 '우주 배경 복사'까지 소리로 변환해 들을 수 있다는 점이다. 최근에는 20대부터 시력을 잃은 음파 천체물리학자인 하버드 스미스소니언 천체물리학연구소의 완다 디아즈 머시드 박사가 우주의 변화를 들을 수 있는 소리로 변환해 연구한 사례가 있다. '음성화(sonification)' 기술을 적용시켜 보이지 않는 우주의 빛을 소리로 변환해 귀로 감지할 수 있도록 했다.

우주는 더 이상 어둠의 세계도, 침묵의 세계도 아니다. 우주는 빛으로, 입자로, 파동으로 가득 차 있다. 미국 항공우주국(NASA)에서는 다양한 우주의 소리를 제공하고 있으니 우리의 귀로 우주의 소리를 직접 느껴보자. 이제 우주는 청각을 통해 느낄 수 있는 친근하고 실감 나는 대상으로 다가오고 있다. 이는 우주를 더욱 깊이 이해할 수 있는 기회를 우리에게 선사할 것이다.

10. 소리를 피부로 느끼는 세상이 온다

현대는 뇌과학의 시대이다. 여러 감각 정보를 뇌에서 처리하고 인식하는 과정을 연구하는 일이 중요해졌다는 뜻이다. 따지고 보면 인공지능(AI)도 결국 인간의 뇌를 흉내 내는 일이다.

뇌는 시각, 청각, 촉각 등을 개별적으로 인식하는 것으로 알려져 있었지만, 사실은 상호 연계해 처리하고 있음이 점차 밝혀지고 있다. 감각 정보를 서로 교차해 인식하는 '공감각'에 관한 연구나 소실된 청각이나 시각을 다른 방식으로 인지하게 하는 기술이 최근 발전하고 있다.

이러한 감각 통합 연구를 바탕으로 가상 현실이나 의료 재활 기술, 그리고 뇌와 컴퓨터 간 연결 기술도 발달하고 있으며 손상된 생체 감각을 재생성하는 연구도 이뤄지고 있다.

그중에서도 소리는 우리가 세계와 소통하는 데 매우 중요한 역할을 한다. 하지만 모든 사람이 소리를 같은 수준으로 경험하는 것은 아니다. 특히 청각 장애가 있는 이들은 소리를 통한 정보 접근이 제한될 수 있다.

그래서 주목되는 것이 '촉감 음향 기술'이다. 촉감 음향 기술은 소리를 진동으로 변환해 피부를 통해 느낄 수 있게 해주는 데 핵심이 있다. 이 기술은 소리의 다양한 속성, 즉 주파수나 진폭, 리듬을 촉각적 신호로 변환해 사용자가 피부 감각으로 소리 정보를 인지할 수 있도록 한다.

예를 들어 청각 장애인은 누군가 문을 두드릴 때, 또는 전화 벨이 울릴 때 발생한 소리를 진동으로 인지할 수 있다. 이 기술은 극한 환경에서 작업하는 사람들에게도 중요한 의미가 있다. 화재 등 긴급 상황을 알리는 경보 같은 중요한 신호를 소음이 심한 작업 환경에서도 직접적으로 느낄 수 있도록 도와줄 수 있다.

최근 이 분야의 기술 발전 양상은 피부 진동을 통해 사람의 목소리를 포함한 각종 소리를 감지할 수도 있게 하고 있다. '피부 진동 인식 센서'를 목에 부착하면 피부에서 나타나는 진동을 통해 음성을 정확하게 전달할 수 있다. 소리를 촉감으로 느껴지는 점자로 바꾸는 기술도 연구되고 있다. 청각 장애인이나 청각과 시각이 모두 제한된 사용자들이 소리를 인지할 수 있도록 도울 수 있다.

어린이들을 위한 '촉감 사운드북'이란 것도 있다. 주로 시각 장애인이나 시각 정보에 대한 접근이 어려운 이들을 위해 디자인된 독특한 형태의 책이다. 어린이가 손으로 책을 '읽으면서' 동시에 관련된 소리를 듣게 하는 방식이다. 시각 정보를 촉각과 청각을 통해 인지할 수 있도록 만들어 준다.

'뮤직 시트'라고 알려진 진동 의자도 있다. 사람이 의자에 앉아 있는 동안 몸으로 음악을 직접 느낄 수 있도록 진동을 만들어 주는 기기다. 뮤직 시트에서 발생하는 진동은 몸의 긴장을 풀어주고 이완을 촉진할 수 있다. 스트레스 해소, 치유, 명상에도 활용할 수 있는 것이다.

이처럼 촉감 음향 기술은 청각 장애인뿐 아니라 모든 사람이 소리를 느끼고 경험하는 방식을 확장하는 데 중요한 역할을 할 수 있다. 세상을 이해하는 폭을 넓히고, 감각 경험의 경계를 허물어 인간의 삶을 더욱 풍요롭게 만들어 주는 데 촉감 음향 기술이 중요한 기능을 하기를 기대한다.